THINK & TALK™

SPANISH
BOOK 1

THINK & TALK ™

SPANISH
BOOK 1

BERLITZ PUBLISHING COMPANY, INC.
NEW YORK, NY

Berlitz Publishing Company, Inc.
257 Park Avenue South, New York, NY 10010
©1986 Berlitz Publishing Company, Inc.

Printed in U.S.A. - April 1996

ISBN 2-8315-1156-9

PREFACE

To the Student:

Whoever designed, fifty years ago, a test for drivers of automobiles was faced with a choice: whether to examine the applicant's knowledge of the vehicle, its parts and mechanics, their function and coordination, or simply the driver's skills in handling the car on the road. Do I have to be acquainted with the inner workings of a car (or of a language, for that matter) before I can properly use it? When the centipede was asked how he managed to move all those legs in the right order, he started to think about it—and was paralyzed then and there. The conscious control of a complicated system of rules does not seem to be the ideal solution when the acquisition of a skill is at stake—be it walking or talking, driving or writing or reading. Skills are developed by practice. We learn to do things by doing them—which is not exactly a new idea. We learn to speak a foreign language by speaking it, not by talking *about it*, nor by reading or writing, by memorizing vocabulary lists, by parsing sentences or by translating pieces of literature. Besides, proficiency in one area like reading does not necessarily prepare the student for conversing. Reading comprehension and comprehension of the spoken word are two surprisingly different skills; the latter can only be measured against native speakers, against their pronunciation and their rate of speech, and must be acquired by appropriate training.

The Most Natural Approach

Many techniques for teaching or learning a foreign language have been suggested, and many have been discarded. However, it seems there is one scenario that has not been given enough attention: the extraordinary performance of children learning their native tongue. Why not look at this natural miracle as a possible model for learning a second language?

Even before birth the child is exposed to, and receives, messages by sound: the body sounds of the mother. In fact, for some time after birth, those maternal body sounds and their meaning have not been forgotten. Dr. H. Murooka, a Japanese gynecologist, kept premature babies quiet during examinations by exposing them to the recording of a pregnant woman's internal body sounds. Normal babies, too, though hungry before feeding time, demonstrated the soothing effect of the same record when it was transmitted over the hospital's public address system—another, and not the least, proof for the merits of electronic sound reproduction.

The newborn first responds to language as noise, by cooing, shrieking, crying, babbling—indefinite responses to the surrounding sounds. Then pitch and stresses begin to color the baby's experimentation. Vocalization starts with vowels; their combinations with consonants follow. A little later, when first concepts of a toy, a person or an action have been formed, what so far has been an echo of speech is turned into a more searching imitation of sound units: the first words, after having been heard many times, are being reproduced. With the discovery that people and things are labeled, the infant realizes that words bring them closer, that words exercise power; they promote the baby's conquest of the world: Mommy and Daddy, bottles and bathtubs, bears and balls are part of the child's earliest repertoire, selected by the little learner because of its usefulness for him.

This process continues by qualifying the *little* ball versus the *big* one, a *good* boy as more welcome than the *bad* one: adjectives are being used. "This" and "that" help to get the right toy, the nicer dress, the biggest piece of candy: demonstrative adjectives prove to be of service.

Where things are is discovered to be of importance: *in* the box, *on* the table, *under* the chair; prepositions of place (in, on, under) interest the small child sooner than those of time. Action concepts find their expression first in single terms like *There! Out! Go!*, then in association with subjects and objects: *Baby go! Bye-bye Daddy!*—which may be requests, complaints or descriptions. Dramatizations are played out, like Mother's role on the phone: *Hello! Yes, yes, yes. No, no, no! Bye!*, a scene with a minimum of words and a maximum of emotion that needs an audience and applause, both of which warrant, in Baby's opinion, many repeat performances.

Plurals and past-tense forms are spontaneously incorporated; irregular plurals *(children)* appear; irregular verb-forms *(took)* may pass through erroneous forms *(taked, tooked)* in a process of trial, error and correction. Children, like people more advanced in age, expect certain regularities in the language; they are inclined to proceed by analogy and to follow patterns when they seem to exist; when they don't, inconsistencies *(took, children)* are given the same pin-pointing attention as new units of the vocabulary.

A Model for Foreign-Language Learning?

The natural process of first-language learning has these characteristics:
- The "pupil" receives "private instruction."
- Several people, usually members of the family, act as "tutors."

- The tutors are "native speakers" of the language.
- Through extended periods of listening, the child develops an ear for the language.
- While progressively discriminating and imitating the sounds heard, the learner exercises his organs of speech.
- Gradually, the practiced sounds take on meaning.
- Meaning is circumscribed by situation and context.
- Further clarification is given *directly* in the one and only language spoken by everybody around.
- Vocabulary is selected because of its usefulness.
- Regular grammatical features are tackled by analogy, not by analysis or the statement of rules by the tutors.
- Irregular features are treated like single items of the vocabulary.
- The relaxed atmosphere favors the learning of phonetic refinements, word building blocks, endings, word order, etc.
- There is a great amount of playful, active practice once some fluency in speaking has been achieved.
- Reading and writing are built on the oral command of the language.

All these features are equivalent to a system of learning by instinct, to a natural method of first-language input. And there are instances when a second language, too, is learned under similar conditions. Children in a bilingual country may very well grow up with two languages. Adults living and working in a foreign country learn to communicate there, often without formally studying the new language. And at school, especially when the speaking aim is given priority by native instructors, skills in pronunciation, fluency of speech and ability to understand the spoken language are obtained although—or because—the students' native tongue may be entirely banned from the classroom.

Today, with the advent of electronic sound reproduction, audiovisual self-teaching materials can be designed to meet the same objective. Home study courses by definition are private instruction. Any number of native speakers can be presented on a recording. Real-life scenes can be recorded. Sound effects on the recorded material and illustrations in the books can do away with the need for translation. A step-by-step introduction makes it much easier to absorb new grammatical points. Context and situations can make dialogues and reading pieces (almost) self-explanatory. Recordings offer the learner an unlimited opportunity to listen to the language. An increase in active student participation occurs quite spontaneously. Listening and understanding, speaking, reading and writing can be approached as mutually supportive skills. All this, quite in harmony with the natural process of growth in one's native language, may very well be a model for foreign-language learning, as long as the physical and intellectual readiness of students more advanced in age is taken into consideration.

Maximilian's Marvelous Method

Almost every person who comes to Berlitz to learn a foreign language has had some formal language instruction in high school or college. Many have studied for several years. But they still come to Berlitz to learn to speak the language. Why?

We learn to do things by doing them. At Berlitz, a student learns French by speaking French, not by speaking about French in English. This is the essence of the Berlitz Method, and the Method is why Berlitz language instruction works.

How It All Started

The Berlitz Method came about as a result of a combination of carefully developed theory and lucky circumstance. Maximilian Berlitz, born in Germany in 1852, came to the United States at the age of twenty and found work as a teacher of French and German at a theological seminary in Providence, Rhode Island. Although he was teaching by conventional methods—concentrating more on rules of grammar and translation than on conversation—he had already begun to formulate his ideas on how language really should be taught. With his analytical mind and attention to details, Berlitz was probably the first to develop a beginner's course around a planned, selected vocabulary.

With the fourfold objective of understanding, speaking, reading and writing, in that order, and with emphasis on understanding and speaking from the very beginning, Maximilian Berlitz opened his own language school in Providence in 1878. As his assistant, he hired a French immigrant named Nicholas Joly, whose knowledge of English was very limited. At Berlitz's suggestion, Joly taught French by pointing at things and naming them, and by acting out the meaning of verbs.

Shortly after Joly joined the school, Berlitz became ill and had to remain at home for several weeks. When he recovered, he found that students at the school had progressed much further than they ever had in a similar period of time under his own teaching. Joly's experiment with a practical, direct approach, necessitated by his inability to teach in English, became the proof of Berlitz's theories. Through the years, the Berlitz Method has been polished and refined, but it still contains the seeds that were planted more than one hundred years ago.

INTRODUCTION

Have you read our preface to "Think and Talk"? If not, please do, as we will now clarify the nature of this course based on *the most natural approach,* already outlined in the preface.

This course is recording oriented. That means your involvement with the recorded sound and your participation in the foreign language will become second nature, without any need for translation into your native language. The script, which also includes reading and writing exercises, remains only an auxiliary to complement your work with the drama of language — the experience of growing up in the language of your choice, regardless of your age, at whatever station in your life.

The main problem with most home study courses is *vocabulary overload,* which inhibits the student's speaking progress. Such overload stimulates the mind to translate continually rather than participate spontaneously in communication with foreigners. Our "Think and Talk" program steers away from standard lessons. Indeed, there are no lessons! Instead, there are *Scenes,* yes, live scenes that will begin to form your "Think and Talk" experience. In addition, all scenes involve your personal instructor (the male voice) to guide you as you participate. The control guide (the female voice) provides the correct responses as our stage/scene presentation unfolds.

"Think and Talk" Course Materials

Each "Think and Talk" course combines between six and eight hours of recorded instruction with two Student Books. Each recording is subdivided into loosely connected Scenes of five to seven minutes' duration, clearly separated from each other on the recordings and in the book. The text of each Scene is transcribed in the Student Book and amplified by a full page of related reading and/or writing exercises.

A Preliminary Step

As a beginner, you should deal with *one Scene at a time.* To get acquainted with the program, we suggest you now listen to Scene One, which lasts approximately six minutes. This will be your opportunity to hear a foreign language with an excellent chance of understanding right away what you hear.

No conscious effort is needed. You are in harmony with the world, immersed, relaxed, but alert, ready to listen—and not concerned with anything else like spelling words, parsing sentences, translating paragraphs. Forget your native tongue, relax and *listen!* You are surrounded by sound, the sound of music and language. Become part of it, and accept your new language. Go ahead and listen to Scene One. We'll talk to you again in a few minutes. But, please, keep your book closed for now.

(Six minutes later)

This first exposure to your new language may have convinced you that listening can be a very important part of learning, and that no foreign language will remain "foreign" for long when you work with these recordings.

This Scene, like those that follow, deserves more detailed attention from you. We suggest you comply, Scene by Scene, with the following step-by-step program.

Step One:
Listening
Language is Sound.

Whenever you start working on a new Scene, listen to it first without the Student Book. In this way you meet what is new to you in its original medium: sound. Get accustomed to intonation and sentence melody, to the ups and downs and rhythms of voices. Don't worry at this point about vocabulary and meaning, about spelling and grammar! Reactivate your sense of hearing so that it will work for you. By carefully listening you prepare yourself for talking. Get tuned in and listen, relaxed and receptive, as if you heard one of your favorite pieces of music.

Step Two:
Listening and Understanding
Language has Meaning.

Listen again to the same Scene, although you may have come quite close to understanding it already. Keep your book open, so that you can glance at the column of pictures alongside the printed text. The sound effects, the step-by-step progression, the inner logic of dialogues, the art of the speakers and the illustrations make it easy to comprehend.

Try to visualize what is going on, but do not yet read the text. When someone is counting, for instance, visualize the numbers. When you hear a clock and you are told the word for it, accept that word as the new label for the object in question. When people greet each other, add those phrases to your memory bank, but don't bother to translate. Translation is an art and skill by itself; switching back and forth between two languages can be confusing and time-consuming, and it certainly imperils any conversational ease. Nor should you use the book as a crutch to achieve quicker and better understanding; it may be easier sometimes to comprehend a word when you see it—but this would not prepare you for a real conversation, since no one will write or type for you what he is going to say.

You will understand any single Scene when you can say to yourself: I think I know what's going on; I'm getting quite familiar with what I hear; I wonder where I can go from here?

Step Three:
Repeating
Language is Speech.

Obviously, the easiest way of saying anything in a foreign tongue is to repeat what one has just heard. Therefore, listen to the same Scene once more and *repeat!* Repeat quite systematically everything you hear —a number, a couple of words, a question, the answer, a command— one such unit at a time, during the pauses left on the recording. Do not yet answer any questions on your own; just repeat them like everything else, but do speak *aloud!* You may have to push the hold or stop button once in a while, but that doesn't matter; take whatever time is needed for repetition. Your purpose right now is mainly this: to imitate, to echo what you hear. Let the news sounds sink in, think them, let them become part of yourself. They are an essential aspect of the language you are learning.

Step Four:
Answering and Repeating
Language is Communication.

At first you listened for the sake of listening; in the process you became aware of the meaning of what you heard. Then you expressed everything yourself, once or twice. Now you can participate even more actively; this time do not repeat questions but reply to them *before* you hear the recorded answers. Use your imagination: pretend that all the questions on the tapes are addressed to *you*, and that *you* have to answer them. Stop the cassette player temporarily if you need the extra time—and give your answer before you hear the one on the tape; only then should you listen to the recorded answer and repeat it, even though you may have given the same correct answer before.

This is a four-step procedure:

1. you hear a question;
2. you answer it;
3. you listen to the model answer;
4. finally, you repeat the answer, loudly and clearly.

This answer-and-repeat stage should be practiced until you can keep up with the recording and do not have to stop the machine for any extra time—another built-in achievement test that tells you whether or not you are ready for the next stage. You will hear guidance control signals from your instructor—like … "Listen!" or "Answer!" or "Repeat!"—such as any live instructor would make in the course of a lesson; these are simply reminders of what you are supposed to do.

Signals to direct your responses

English	French	German	Italian	Spanish
(Please) listen	Écoutez	Hören Sie	Ascolti	Escuche
(Please) repeat	Répétez	Wiederholen Sie,	Ripeta	Repita
(Please) repeat		bitte (or simply) Bitte		
(Please) answer	Répondez	Antworten Sie, bitte	Risonda	Conteste
Question*	Question	Frage	Una domanda	

*This signal alerts you to *answer the question.*

yes, … give a complete affirmative reply. (full sentence)	oui, …	ja, …	sì, …	sí, …
no, … give a complete negative reply. (full sentence)	non, …	nein, …	no, …	no, …

Step Five:
Reading and Writing
Language as Sight.

Whatever you have listened to on the recording you have managed to understand. Now you will see that whatever you understood, repeated and replied to, you will be able to *read*. Listen once more to the Scene you are studying and at the same time follow the text in your book. By seeing everything in print you add a new dimension to your target language; you add sight to sound, spelling to pronunciation—another medium to support your memory. Do not search for any spelling rules at this time; you will gradually discover them in the course of more reading practice. Do not translate from the book, but simply enjoy this rather painless introduction to reading a foreign language.

Then you can test your progress by reading the same text aloud, but this time without benefit of the recording.

Writing can be practiced quite conveniently by using any section of the tape for short dictations.

**Step Six:
Talking Freely**

Finally, you might like to check how much you can say without being prodded by recording or book. Take the initiative and say whatever comes to mind: repeat a question you remember and answer it; give affirmative or negative answers, or even both, as if you were correcting yourself. Look at it as a game; play with the words you know, and don't let your native language tell you what to say. Sustained talk for about five minutes after each Scene will be quite satisfactory, and a fifteen-minute talk at the end of each cassette will be excellent. Good luck and best wishes. And be sure it will work.

Scene-by-Scene Procedure

1. Relax and Listen!
2. Listen and Understand!
3. Listen and Repeat!
4. Answer and Repeat!
5. Read and Write!
6. Think and Talk and Talk and Talk!

RECORDING 1

ESCENA 1
PRÓLOGO

Juan   ¡Shhh! ¡*Escuche*!

¡Escuche **la música**!

Escuche ...

un coche.

Un Chevrolet.

Un coche **americano.**

Y esto ...

es un Toyota.

Un coche **japonés.**

Repita: **el** Toyota es un coche japonés.

El **Chevrolet** es un coche americano.

Repita: a-me-ri-ca-no,

ja-po-nés.

Esto ...

es **una bicicleta.**

Repita: un coche,

una bicicleta.

Un - una.

Un - una.

Un - una.

...

¡Ah! Es **Pedro.**

Y esto ...

es **... un ... reloj.**

Un reloj.

Repita **después de** Pedro:

Pedro	Uno.
Juan	*Repita*: uno.
Pedro	**Dos.**
Juan	Dos.
Pedro	**Tres.**
Juan	Tres.

Pedro	**Cuatro.**
Juan	Cuatro.
Pedro	**Cinco.**
Juan	Cinco.
Pedro	**Seis.**
Juan	Seis.
Pedro	**Siete.**
Juan	Siete.
	…
Pedro	**¡Las siete!**
	Ocho.
Juan	Ocho.
	…
Pedro	¡Las ocho!
	¡Son las ocho!
	Nueve.
Juan	Nueve.
Pedro	Son las nueve.
	¿Las nueve? ¿Son las nueve?
	¡Ay! ¡Son las nueve!

...

Sr. García   ¡Entre!

Juan   Es **el profesor**, el Sr. García.

Sr. García	**Sí** ... ¡Entre!
	¡Ah! ¡Pedro!
Pedro	**¡Buenos días!** Buenos días, **señor**.
Sr. García	Buenos días, Pedro.
	¡Pedro! ...
Pedro	¿Sí, señor?
Sr. García	¿Son las nueve?
Pedro	Sí, Sr. García, son las nueve.

Juan   **Bueno.**

Conteste: ¿Son las seis? - **No,** ...

Juanita   - No, **no son** las seis.

Repita: no, no son las seis.

Juan   *Conteste*: ¿Son las siete? - No, no son ...

Juanita   - No, no son las siete. *Repita.*

Juan   *Conteste*: ¿Son las ocho? - No, ...

Juanita   - No, no son las ocho. Repita.

Juan   *Conteste*: ¿**Qué hora** es? - Son las ...

Juanita   - Son las nueve.

Juan   **Perdón,** ...

¡AY! ¡SON LAS NUEVE!

	¿Qué hora?
Juanita	- Las nueve.
Juan	¿Las nueve?
Juanita	- Sí.
Juan	¡Ah! **Gracias.**

FIN DE LA ESCENA 1

Una pausa de cinco segundos

Atención | ¿..........? = *Conteste* (¡No repita!)

EJERCICIO 1

1. Lea en español: 1, 2, 3, 4, 5, 6, 7, 8, 9,

9, 8, 7, 6, 5, 4, 3, 2, 1,

1, 3, 5, 7, 9,

2, 4, 6, 8.

2. ¿ Qué hora es?

3. ¿Qué hora es?

4. ¿Son las seis?
¿Qué hora es?

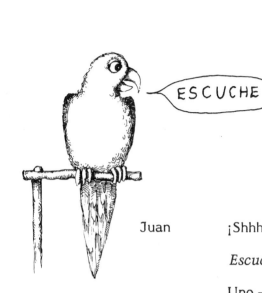

ESCENA 2

ARITMÉTICA

Juan

¡Shhh! *¡Escuche!*

Escuche, **por favor:**

Uno - dos, uno - dos, uno - dos, uno - dos

...

Repita: uno,

dos,

tres,

cuatro,

cinco.

Repita: cinco, seis, siete,

ocho, nueve, **diez.**

Diez,

once,

doce.

Repita: diez, once, doce.

Bueno.

Ahora, *escuche* **a** Pedro y

escuche **al** profesor:

Sr. García	Dos ... y ... dos ... son ... cuatro.
	Dos y dos son cuatro.
Pedro	Dos ... y ... dos ... son cuatro.
Sr. García	¡Pedro! ...
Pedro	- ¿Sí, señor?
Sr. García	¿Son cuatro dos y dos?
Pedro	- Sí, dos y dos son cuatro.
Sr. García	¿Y ... dos y tres?
Pedro	- Dos y tres son cinco.
Sr. García	¡Sí! **Muy bien.**
	Muy bien, Pedro.
	Y ... ¿tres y tres?
Pedro	- Tres y tres son seis.
Sr. García	Muy bien.
	¿Son ... once ... seis y seis?
Pedro	- ¡No, seis y seis no son once!
Sr. García	**¿Cuántos** son seis y seis?
Pedro	- Seis y seis son doce.

$$2 + 2 = 4$$

$$2 + 3 = 5 \ ?$$

$$3 + 3 = 6$$

$$6 + 6 = \cancel{11}$$

$$8 + 3 = 10 ???$$

Sr. García	Muy bien.
	¿Son diez, ... ocho y tres?
Pedro	– No señor. Ocho y tres no son diez.
Sr. García	¿Cuántos son ocho y tres?
Pedro	– Ocho y tres son once.
Sr. García	Sí. **Exacto.** Muy bien.
	¿Cuántos son cinco y cuatro?
Pedro	– ¿Cinco y cuatro?
Sr. García	Sí, ¿cuántos son?
Pedro	– Cinco y cuatro son ... son ... ¿diez?
Sr. García	¿Diez? ¿Cinco y cuatro?
	No, Pedro.
	¡"Diez", no!
	"Diez" no es exacto.
Pedro	¿No es exacto?
Sr. García	No, no es exacto.
	Cinco y cuatro no son diez.
Pedro	¿No son diez?
Sr. García	¡No! Cinco y cuatro son nueve.
Pedro	¡Ah, sí! ¡Nueve, nueve!
Sr. García	Exacto.

$$5 + 4 = \cancel{10}$$

$$5 + 4 = 9$$

Juan	Bueno.
	Y ahora, escuche:
	...
	Es ... **un** ... **peso.**
	Un peso.
	Dos pesos.
	Tres pesos.
	Conteste: ¿Cuántos son ... tres pesos ...
	y ... dos pesos?
Juanita	- Tres pesos y dos pesos son cinco pesos.
Juan	Exacto.
	Y ... ¿cuántos son ... cinco pesos ... y
	... tres pesos?
Juanita	- Cinco pesos y tres pesos son ocho pesos.
Juan	Y ahora, ¡**pesetas**! ¿Cuántas son ocho pesetas
	y tres pesetas?
Juanita	- Ocho pesetas y tres pesetas son once pesetas.
Juan	Y ahora, once pesetas y ... **una peseta,**
	¿**cuántas** son?
Juanita	- Once pesetas y una peseta son doce pesetas.
Juan	¿Dos pesetas?

Juanita	– ¡No: doce pesetas!
Juan	¡Ah! ¡**Ya**!

Ahora, *repita*: un peso – una peseta.

Un peso **mejicano** – una peseta **española.**

Dos pesos – dos pesetas.

Dos pesos **mejicanos** – dos pesetas **españolas.**

...

Gracias, ¡**muchas gracias**!

FIN DE LA ESCENA 2

EJERCICIO 2

1. Escriba: 4: _cuatro_   7: _____   2: _____

        8: _____   3: _____   9: _____

        5: _____   6: _____   1: _____

2. ¿Cuántos son tres y dos?

3. ¿Cuántos son cinco y cuatro?

4. Lea en español: $10 + 2 = 12$
$$7 + 4 = ?$$

5. ¿Sí o no?

	Sí	No
Seis y cinco son once	(X)	( )
Una peseta y dos pesetas son cinco pesetas	( )	(X)
Cuatro y cuatro no son ocho	( )	( )
El Chevrolet es un coche americano	( )	( )
El Toyota es un coche japonés	( )	( )
El Peugeot es un coche francés	( )	( )

CORRECCIÓN:

2. Tres y dos son cinco.

3. Cinco y cuatro son nueve.

4. Diez y dos son doce.
¿Cuántos son siete y cuatro?
(Siete y cuatro son once)

ESCENA 3

LA SEÑORITA MARÍA

Juan

¡Shhh! *Escuche:*

...

Es Pedro.

Escuche a Pedro:

Pedro

Uno - dos - tres - cuatro - cinco ...

Cinco - cuatro - tres - dos - uno.

Cinco, seis, siete,

ocho, nueve, diez.

...

Las ocho, las nueve, las diez.

Las once.

Las doce.

¿Las doce? ¿Son las doce?

No, no son las doce.

Ahora, no son las doce.

Ahora, son las nueve ...

y ... cinco **minutos.**

Seis, siete minutos ...

Ocho, nueve, diez minutos.

Ahora, son las nueve y diez minutos.

Las nueve y diez.

...

Las nueve y once minutos.

...

Y doce,

...

trece

catorce

quince.

Las nueve y quince minutos.

Sr. García   ¿Qué hora es?

Pedro	- Son las nueve y quince minutos.
	¡Oh! **El teléfono.**
Juan	*Repita*: el teléfono.
	Repita después de Pedro.

POR FAVOR, CIERRE LA VENTANA

Pedro	¡Es el teléfono! ¿**Diga**? ¿Diga? ... ¿**María**? ¡Ah, sí! ¡María! ... sí, sí. Un minuto, por favor. Un minuto. ... ¡Señor! ¡**Señor profesor**! ¡Sr. García! ¡El teléfono! Es **la señorita María.**
Sr. García	¡Ah! ... ¿Diga?
(María	...............)
Sr. García	¡Ah, María! Sí.
(María	...............)
Sr. García	¿**Cómo**?
(María	...............)
Sr. García	¿Cómo? María, un minuto por favor. ¡Pedro! Pedro, por favor, ¡**la ventana**! ¡**Cierre** la ventana!
Pedro	- Sí, señor. ...
Sr. García	¡Uf! Gracias, Pedro. Ahora sí, María. Diga.

(María	...............)
Sr. García	**A las nueve.**
(María	...............)
Sr. García	¿No? ¿A las nueve no?
(María	...............)
Sr. García	¡Ah! ... **Entonces** ... **¿A qué hora**?
(María	...............)
Sr. García	¿A qué hora?
(María	...............)
Sr. García	¿A las diez?
(María	...............)
Sr. García	Bien. Bien, María. A las diez.
	... A las nueve, no. ¡A las diez! (tsss)
Pedro	..."A las nueve, no. ¡A las diez! (tsss)"

MARÍA NO VIENE
A LAS NUEVE

Juan   Bueno, bueno.

Ahora, *repita*: **María viene** a las diez.

María no viene a las nueve.

Conteste: **¿Viene María** a las ocho?

- No, María no viene ...

Juanita   - No, María no viene a las ocho.

Juan   *Conteste*: ¿Viene María a las siete? - No, ...

Juanita   - No, María no viene a las siete.

Juan   ¿Viene a las seis? - No, ...

Juanita   - No, no viene a las seis.

Juan   Entonces, ¿a qué hora viene María?

Juanita   - María viene a las diez.

Juan   Sí. **Viene** a las diez.

¿Y Pedro?

MARÍA VIENE
A LAS DIEZ

(Pedro	Buenos días, Sr. García; son las nueve.)
Juan	¿Viene Pedro a las diez? - No, Pedro no viene ...
Juanita	- No, Pedro no viene a las diez.
Juan	¿A qué hora viene Pedro?
Juanita	- Pedro viene a las nueve.
	- Viene a las nueve.
Juan	¿Son las ocho ahora? - No, ahora no son ...
Juanita	- No, ahora no son las ocho.
Juan	¿Son las siete ahora? - No, ahora ...
Juanita	- No, ahora no son las siete.
	- Ahora son las nueve y quince minutos. ...
Juan	¿Y ahora?
Juanita	- Las nueve y **dieciséis** minutos, ...
	diecisiete,
	dieciocho,
	diecinueve,
	veinte.
	...

Las nueve y veinte.

Juan   Entonces, .. ¿qué hora es?

Juanita   - Son las nueve y veinte.

Juan   Y ahora, por favor, *repita* **los números:**

veinte,

diecinueve,

dieciocho,

diecisiete,

dieciséis,

quince,

catorce,

trece,

doce,

once,

diez.

Muy bien ... y ... muchas gracias.

FIN DE LA ESCENA 3

EJERCICIO 3

1. ¿Qué hora es?

2. ¿A qué hora viene Pedro?

3. ¿A qué hora viene María?

¡QUÉ VIENTO!

ESCENA 4

VOCABULARIO BÁSICO

Juan ¡Shhh! *Escuche*:

...

el viento.

Es el viento.

Repita: esto es el viento.

Y esto:

...

es una ventana.

Repita: esto es una ventana.

Y esto:

...

es **una puerta.**

Repita: el viento,

la ventana,

la puerta.

Y esto:

…

¿Es una ventana? - No, no es …

Juanita	- No, no es una ventana.
Juan	¿Es **un reloj**?
Juanita	- Sí, es un reloj.
Juan	¿Es **el reloj de María**? - No, …
Juanita	- No, no es el reloj de María.
	Repita: Es el reloj de Pedro.
Juan	Y ahora, esto:
	…
	¿Es esto un reloj?
Juanita	- No, no es un reloj.
Juan	¿**Qué es esto**?
Juanita	- Es un teléfono.
Juan	*Conteste*: ¿Es el teléfono de Pedro … o …
	el teléfono del Sr. García?

Juanita	- Es **el teléfono del Sr. García.**
Juan	¿Y esto? ... ¿Qué es? ...
	¿Un teléfono ... o ... **una radio**?
Juanita	- Es una radio.
Juan	¡Perdón! ¿Qué es? ¿La radio ... o ...
	la televisión?
Juanita	- Es la radio.
Juan	¡Ya!

Repita: **un** teléfono ... o ... **el** teléfono.

Una radio ... o ... **la** radio.

Un reloj ... o ... el reloj.

Una puerta ... o ... la puerta.

Ahora, *escuche a Pedro y al profesor:*

Sr. García	¡Pedro!
Pedro	¿Sí, señor?
Sr. García	*Conteste*: "Reloj", ¿un .. o .. una?
Pedro	- ¡Un reloj!
Sr. García	Muy bien. *Conteste*: "Ventana",
	¿un ... o ... una?
Pedro	- Una ventana.
Sr. García	Sí. ¡Bicicleta! "Bicicleta", ¿un o una?

UNA VENTANA

Pedro	- Una bicicleta.
Sr. García	"Minuto", ¿un o una?
Pedro	- Un minuto.
Sr. García	"Señorita", ¿un o una?
Pedro	- **Una señorita.**
Sr. García	¡Sí! ¡Claro!
Pedro	¡Claro: una señorita!
Sr. García	Y ahora, el ... o ... la:
	Conteste: "Señorita", ¿el ... o ... la?
Pedro	- ¡La señorita!
Sr. Garcìa	"Televisión", ¿el o la?
Pedro	- La televisión.
Sr. García	"Peseta", ¿el o la?
Pedro	- La peseta.
Sr. García	"Peso", ¿el o la?
Pedro	El peso.
Sr. García	Muy bien, Pedro. **Excelente.**
	El peso mejicano, **la peseta** española.
Pedro	**¡El dólar** americano!
Sr. García	Sí. **Un dólar** americano,
Pedro	- Un dólar americano, ...

Sr. García — Dos **dólares americanos.**

Pedro — - Dos dólares americanos, tres dólares americanos, cuatro dólares americanos, cinco dólares américanos, seis dólares americanos, ...

Sr. García — Bueno bueno, Pedro ... ¡**Basta**! ¡**Basta ya**!

Pedro — Uno y uno son dos,
dos y dos son cuatro,
tres y tres son ...

Sr. García — ¡Pedro, basta! ¡Ay!

Pedro — ... Esto es la puerta ...
y ... **eso:** ...
eso es la ventana.
... Esto es un coche
y eso: ...
es una **motocicleta.**
Sí. Eso es una motocicleta.

Esto es **un perro:** …

y eso: …

eso es **un gato.**

Esto … y … eso

Esto … y … eso

Esto … y … eso … y … eso …

y … **aquello.**

¡Ah! ¡La radio del profesor!

¡Sr. García!

Sr. García	¿Sí?
Pedro	¿Qué es esto? ¿**Un piano?** ¿Es un piano?
Sr. García	– Sí, Pedro, es un piano. …
Pedro	¡Oh! … Y ¿eso? ¿**Qué es?** ¿Es **un violín?** ¿Es un violín, no?
Sr. García	– Sí, sí, Pedro … ¡Es un violín! ¡Ay!
Pedro	… Y … ¿eso? Es un …
Sr. García	– ¡Basta, Pedro!

Basta ya.

Pedro   Sr. García, escuche esto: ...

Sr. García   ¡Ay, no, por favor!

Juan   ¡Ay, no, Pedro, por favor!

     ... ¿Qué es eso?

Juanita   - ¿Eso? (¡Hmm!) Eso es la puerta y la ventana ...

y un perro y un gato ...

y dos **coches**:

un coche **grande**

...

y un coche **pequeño**

...

Repita: un coche grande,

un coche **muy grande.**

Un coche pequeño,

un coche **muy pequeño.**

Juan   El coche pequeño, ¿es de María?

Juanita   - ¿De María? ... **No sé.**

Juan	*Conteste*: ¿Es de María el coche pequeño?
Juanita	- No sé.
Juan	Bueno, basta **por ahora**.
	Gracias.

FIN DE LA ESCENA 4

EJERCICIO 4

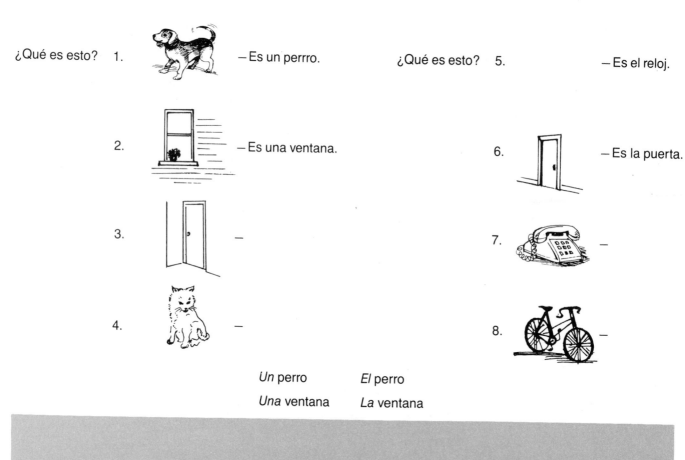

¿Qué es esto? 1. —Es un perrro.

2. —Es una ventana.

3. —

4. —

¿Qué es esto? 5. —Es el reloj.

6. —Es la puerta.

7. —

8. —

Un perro   *El* perro

Una ventana   *La* ventana

ESCUCHE

ESCENA 5

¿QUIÉN ES USTED?

Juan	¡Shhh!

Escuche al profesor y a Pedro, y repita:

Sr. García	Pedro, ¿qué hora es?
Pedro	– Son las diez, Sr. García.
	...
Sr. García	¿Y ahora?
Pedro	– Ahora son la diez y cinco.
	...
	¡Y ahora son las diez y diez!
Sr. García	¡Ya son las diez y diez ... y ... María no viene!
Pedro	¡SÍ, **ya son las diez y diez**!
Sr. García	¡Y María no viene! ¡Ay! ...
	...
	¡Ah! **Aquí está María**!
Pedro	¡Sí, aquí está!

Sr. García	¡Entre! ¡Sí, entre!
	...
María	Buenos días, Sr. García.
Sr. García	Buenos días, María.
Maria	**Hola**, Pedro, buenos días.
Pedro	¡Hola, María!
	¿Cómo está?
María	Bien, gracias. ¿Qué hora es?
Pedro	Las diez y diez, María.
María	¡Oh! ... **Lo siento.**
	Lo siento, Sr. García.
Sr. García	Bien, María. **Está bien.**
	...
María	**"Escuela** Española"
	"Escuela Española" ... ¿Diga?
	...
	¿Sí?
	...
	¿Cómo?
	...
	Un minuto por favor.
	¡Sr. García! ...¡El teléfono!
	...
Sr. García	¿Diga?
(Un señor	... Nakamura-san ...)
Sr. García	¿Cómo?
	...
	No.
(El señor	...¿Nakamura-san?)
Sr. García	¡No!
(El señor	...¿Nakamura-san?)
Sr. García	¡No! **Yo no soy** el Sr. Nakamura.
	Yo soy el Sr. García: "García", no "Nakamura".
	Yo no soy el Sr. Nakamura.
(El señor	...¿Oh? ¡Oh, perdón! Perdón... Lo siento.
	Lo siento, señor.)
Sr. García	Está bien.
	...

	¡Nakamura! Yo no soy el Sr. Nakamura; soy el Sr. García. Yo no soy japonés; soy **español**.
Pedro	¡Yo soy el Sr. Nakamura!
María	Pedro, por favor...
Pedro	¡Yo soy el Sr. Nakamura y soy japonés!
Sr. García	No, Pedro. **Usted no es japonés. Usted es español.**

Pedro   ¿Y María?

Sr. García   María es española.

María **también** es española.

Pedro   ¿Y usted, Sr. García?

Sr. García   Yo también.

Yo también soy español.

Soy español ... y soy profesor.

María   ¿Y usted, Pedro? ¿**Es usted** profesor?

Pedro   - ¿Yo? ¡Oh no, María, yo no soy profesor!

¡Soy **estudiante**!

Sr. García   Sí, **usted es** estudiante.

Pedro   María, ¿es usted estudiante también?

María   - No, **no soy** estudiante.

Pedro   ¿Qué es usted?

María   - Soy **secretaria**.

Soy **la secretaria de la escuela.**

Sr. García	Sí, María: usted es secretaria,
	Pedro es estudiante,
	y yo soy profesor.
Juan	Bueno, está bien.
	Ahora, *repita*: Yo soy - usted es.
	Yo no soy - usted no es.
	Bien. ¿Y ... usted?
	Sí, sí, usted--señor, señora o señorita--
	ahora, conteste: ¿es usted estudiante?
	- Ahora sí, soy ...
Juanita	- Ahora sí, soy estudiante.
Juan	*Conteste*: Es usted **estudiante de español**?
	- Sí, ...
Juanita	- Sí, soy estudiante de español.
Juan	Entonces ... ¿No es usted estudiante de
	japonés? - No, no soy ...
Juanita	- No, no soy estudiante de japonés.
Juan	*Conteste*: ¿Es usted **el Sr.** Nakamura?
Juanita	- No, no soy el Sr. Nakamura.
Juan	¿Es usted el Sr. García?
Juanita	- No, no soy el Sr. García.

YO SOY JUAN

Juan	¿Es usted **la Sra.** Martínez?
Juanita	- No, no soy la Sra. Martínez.
Juan	¿Es usted la señorita María?
María	- No, no soy la señorita María.
Juan	**¿Quién es usted?** - Yo soy ...
	¿Perdón? ¿Quién?

....

¡Ah, ya! Muy bien.

Yo soy Juan.

Juanita	Y yo soy Juanita.
Juan	Ahora *repita esto, por favor:*

PEDRO ES ESTUDIANTE

Pedro es estudiante

o: **él** es estudiante.

María es secretaria

o: **ella** es secretaria.

Repita: Él es español - ella es española.

Él no es japonés - ella no es japonesa.

Él - ella

español - española

japonés - japonesa

americano - americana.

Juanita	*Repita*: yo soy,
	usted es,
	él es,
	ella es.
	Yo no soy,
	usted no es,
	él no es,
	ella no es.
	Muy bien. ¡**Perfecto**!
	Gracias.

FIN DE LA ESCENA 5

EJERCICIO 5

"Soy el Sr. García"
"Soy profesor"

"Soy María"
"Soy secretaria"

"Soy Pedro"
"Soy estudiante"

Si, yo soy. . .
usted es
él es
ella es

No, yo no soy. . .
usted no es
él no es
ella no es

1. ¿Es usted el Sr. Rodriguez?

3. ¿Es usted la Sra. Martinez?

3. ¿Entonces, *quién* es usted?

ESCENA 6

UNA DISCUSIÓN

ESCUCHE

Juan	¡Shhh!
	Escuche:
	...
	Aquí viene el profesor.
Sr. García	¿Pedro?
Pedro	– ¿Sí, **señor García**?
Sr. García	¿**Escucha usted**?
Pedro	– Sí, señor: **yo escucho.**
	...
	Escucho la radio,
	...
	escucho la música
	y escucho **al** profesor.
Sr. García	Bueno, bueno. Está bien.
	Está bien.

Pedro	- ¡Señor, señor, escuche: música americana! ...
Sr. García	¿"Música"??! ... ¿Eso? ¿Eso es "música"?
Pedro	- Sí señor, es música americana.
Sr. García	No, no, no, Pedro: eso no es música.
Pedro	- Pero Sr. García, es Rock and Roll...
Sr. García	El "Rock and Roll" no es música.
Pedro	- ¿(Que) no es música?
Sr. García	No. **Para mí**, no es música.
Pedro	- ¡Pero Sr. García, el Rock americano ...
Sr. García	Americano, japonés, o español, para mí, el "Rock" no es música.
Pedro	- Pero señor, escuche esto: ... (Pam, pam pa-pam)
Sr. García	Pedro, por favor. ¡Basta! **Pare ... la música.** ¡Pare la música! ... ¡Uf! Gracias.

Juan	Bueno.
	...
	Pero... ¿qué es esto? ¿**Es esto** Rock and Roll? - No, **esto no es ...**
Juanita	- No, esto no es Rock and Roll.
Juan	*Conteste*: ¿Es **música de ópera**? - Sí, es ...
Juanita	- Sí, es música de ópera.
Juan	¿Es música española o música **italiana**? - Es ...
Juanita	- Es música italiana.

Juan	¿Es **una ópera** Madama Butterfly?
Juanita	- Sí, Madama Butterfly es una ópera.
Juan	¿Una ópera italiana o una ópera americana?
Juanita	- Una ópera italiana.
Juan	Y esto:

...

¿Es esto una ópera italiana?

Juanita	- No, esto no es una ópera italiana.
Juan	¿No es una ópera? *Conteste*: no, no es ...
Juanita	- No, no es una ópera.
Juan	¿Qué es?
Juanita	- Es **una canción.**

- Es una canción española.

Repita: esto es una canción española,

...

eso es una canción italiana,

Y eso:

...

una canción **francesa.**

Juan	*Repita*: yo escucho,

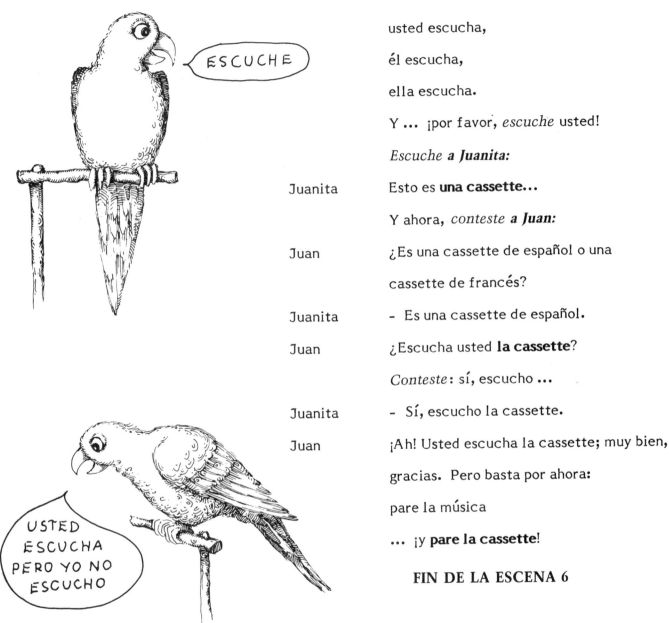

usted escucha,

él escucha,

ella escucha.

Y ... ¡por favor, *escuche* usted!

Escuche **a Juanita:**

Juanita Esto es **una cassette...**

Y ahora, *conteste* **a Juan:**

Juan ¿Es una cassette de español o una

cassette de francés?

Juanita – Es una cassette de español.

Juan ¿Escucha usted **la cassette**?

Conteste: sí, escucho ...

Juanita – Sí, escucho la cassette.

Juan ¡Ah! Usted escucha la cassette; muy bien,

gracias. Pero basta por ahora:

pare la música

... ¡y **pare la cassette**!

FIN DE LA ESCENA 6

Nota: una cassette (fem.) o un cassette (masc.)

EJERCICIO 6

		Sí	No
1.	Usted escucha la cassette	( )	( )
2.	Pedro escucha la radio	( )	( )
3.	El Sr. García escucha una canción	( )	( )
4.	Usted escucha *a* Juan y *a* Juanita*	( )	( )
5.	El estudiante escucha *al* profesor	( )	( )
6.	Pedro escucha *a* la Sra. Rodriguez	( )	( )
7.	Usted cuenta el dinero	( )	( )
8.	María cuenta *a* los estudiantes	( )	( )

*: "a" es para las personas.

CORRECCIÓN

1. Sí, escucho la cassette.
2. Sí, él escucha la radio.
3. Sí, el Sr. García escucha una canción.
4. Sí, escucho a Juan y a Juanita.
5. Sí, él escucha al profesor.
6. No, no escucha a la Sra. Rodriguez.
7. No, no cuento el dinero.
8. No, ella no cuenta a los estudiantes.

ESCUCHE A PEDRO

ESCENA 7

¿CANTA USTED BIEN?

Juan	¡Shhh! *Escuche*: aquí está Pedro.
Pedro	Esto es un gato - **Estos** son dos **gatos**
	Eso es un perro - **Esos** son dos **perros**
	Tra la la, la la, la ...
Juan	Pedro canta.
	Conteste: ¿Canta Pedro **en italiano**?
Juanita	- No, Pedro no canta en italiano.
Juan	¿Canta Pedro **en francés**? - No, él no ...
Juanita	- No, él no canta en francés.
Juan	¿Canta una canción **en inglés**?
Juanita	- No, no canta una canción en inglés.

Juan	¿Canta **en español**, ¿no? - Sí, ...
Juanita	- Sí, canta en español.
Juan	¿Canta el profesor? - No, ...
Juanita	- No, el profesor no canta.
Juan	¿Y usted? ¿Canta usted? - No, yo no ...
Juanita	- No, **yo no canto.**
	- No canto.
Juan	Entonces ...
(Pedro	Tra la la, la la, la)
Juan	¿Quién canta ahora?
Juanita	- Ahora canta Pedro.
Juan	*Repita*: yo canto,
	usted canta,
	él canta,
	ella canta.
	Escuche a Pedro:
Pedro	Uno - dos - tres - cuatro - cinco - seis -
	siete - ocho - nueve - diez - once -- doce ...
	¡María!
María	- ¿Sí?
Pedro	¿Cuántos son doce y uno?

YO CANTO

María	- Trece.
Pedro	¿Cuántos?
María	- Trece, Pedro, trece.
Pedro	¡Ah, sí, trece! Gracias, María. Gracias.
María	- **De nada.**
	De nada.

Pedro	Entonces: diez - once - doce - trece - catorce - quince - dieciséis - diecisiete - dieciocho - diecinueve - veinte ...

¡María!

María	- ¿Sí?
Pedro	Y ... ¿**después de** veinte?
María	- Después de veinte, **veintiuno.**
Pedro	¡Ah, sí! Después de veinte, veintiuno.
	Gracias, María.
María	- De nada.
Pedro	Y después de veintiuno, ¿**veintidós**?
María	- Sí, claro, veintidós.

Pedro	Sí, claro, veintidós - **veintitrés** -- **veinticuatro** - **veinticinco.**

Juan	Pedro **cuenta.**
	Él cuenta.

Pedro	¡María, María, escuche! Yo cuento en español:
	veintiséis – vientisiete – veintiocho –– veintinueve ... ¡María!
María	– Sí, Pedro: después de veintinueve, **treinta.**
Pedro	¡Ah¡ Entonces, después de treinta, **treinta y uno – treinta y dos –** treinta y tres – treinta y cuatro ...
Juan	¡Pedro cuenta ... y cuenta ... y cuenta!
María	– Yo también **cuento** en español. Pedro, escuche: Diez Veinte Treinta **Cuarenta Cincuenta.**
Pedro	... **Cuarenta y ocho – cuarenta y nueve ––** cincuenta. Yo cuento **de** uno **a** cincuenta.
María	– ¡Y cuenta muy bien!
Juan	Ahora, *conteste:* ¿Cuenta Pedro de uno a cincuenta? – Sí, ...

Juanita	- Sí, Pedro cuenta de uno a cincuenta.
Juan	¿Cuenta bien?
Juanita	- Sí, cuenta bien.
Juan	Pero usted, ¿cuenta usted ahora? - No, yo no ...
Juanita	- No, yo no cuento ahora.
	- Ahora **no cuento**.
Juan	¡Por favor, **cuente**! ¡Cuente ... de uno ...
	a cinco! - Uno, ...
Juanita	- Uno, dos, tres, cuatro, cinco.
Juan	Perfecto. *Repita*: yo cuento,
	usted cuenta,
	él cuenta,
	ella cuenta.
	Y ... por favor, ¡cuent**e** usted!
Juanita	Diez - veinte - treinta - cuarenta --
	cincuenta (*Repita*).
Juan	Repita los números: cinco - quince -- cincuenta.
Juanita	Y repita también estos números:
	cuatro - catorce - cuarenta.
Juan	Y esos: tres - trece - treinta.
Juanita	¡Excelente!

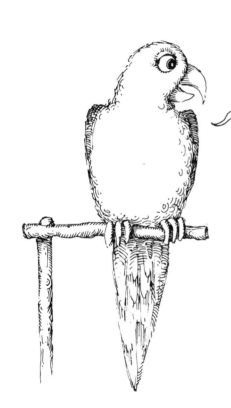

REPITA
50 - 15 - 50

Juan	Entonces, conteste: cuarenta pesos ... y ...
	cinco pesos, ¿cuántos son?
Juanita	- Cuarenta pesos y cinco pesos son
	cuarenta y cinco pesos.
Juan	¿Y cuántas son treinta pesetas ... y ...
	veinte pesetas?
Juanita	- Treinta pesetas y veinte pesetas son
	cincuenta pesetas.
Juan	**¡Pues sí!** Exactamente.
	¡Bravo! y gracias.

FIN DE LA ESCENA 7

EJERCICIO 7

1. Lea en español: 9, 11, 13, 15, 17, 19,

   10, 12, 14, 16, 18, 20.

2. ¿Cuántos son doce y dos?

3. Lea en español: $13 + 3 = 16$

   $15 + 2 = ?$

4. ¿Canta el profesor?

5. ¿Es usted español?

¿ES ESTO MÚSICA?

ESCENA 8

¿CUÁNTO DINERO TIENE USTED?

Juan	¡Shhh!
	¿Es esto música?
Juanita	– No, esto no es música.
Juan	¿Qué es, ... música ... o ... **dinero**?
Juanita	– Es dinero.

| María | Diez pesos .. y cinco pesos .. son .. quince pesos, y cinco son veinte. Veinte pesos. |

Juanita	Es **el dinero de María.**
	María cuenta el dinero.
	María cuenta **su dinero.**

Juan	Sí, María cuenta su dinero, pero *escuche*:

Pedro	Tra la la, la la, la - Tra la la, la ...
María	- ... veintiocho, veintinueve, treinta pesos, y diez son cuarenta... Pedro por favor, ¡shhh! **¡Silencio!** ¡Cuento **mi dinero.** Cuarenta pesos y .. seis, son cuarenta y seis pesos...
Pedro	Tra la la, la.. ¿Cuarenta y seis pesos?
María	- Sí, pero ..¡Shhh! Silencio. Cuarenta y siete, cuarenta y ocho, cuarenta y nueve, cincuenta. **Tengo** cincuenta pesos.
Pedro	María, ..¿**Usted .. tiene ..** cincuenta pesos?*
María	- Sí. Yo tengo cincuenta pesos. ¿Y usted, Pedro? ¿**Tiene usted** cincuenta pesos?
Pedro	¿Yo? ¡Oh, no!
María	- ¿Cuánto dinero tiene usted, Pedro?
Pedro	Dos .. o .. tres pesos. Yo no sé exactamente. No sé exactamente. No sé.
María	- Pues .. entonces, ¡cuente! ¡Cuente su dinero!
Pedro	O.K.: un peso, dos .. y uno, tres: tengo tres pesos.
María	- ¡Ah! ¿Trece pesos?
Pedro	¡No, **no tengo** trece pesos, tengo tres pesos! ¡No tengo diez pesos, no tengo cinco pesos, no tengo cuatro pesos: **sólo** tengo tres pesos!
María	- ¿Sólo tres? ¡Oh! ... **¡Qué lástima!**

Juan	¡Qué lástima¡ ¡Pedro sólo tiene tres pesos! Bueno. Ahora, *repita esto:* María cuenta su dinero.

¡SÓLO TENGO TRES PESOS!

NOTA: "Usted" es la forma de cortesía (la forma familiar es: "tú"). El texto usa "usted" por razones pedagógicas.

Ella tiene cincuenta pesos.

Pedro cuenta su dinero.

Él tiene tres pesos.

Juanita	*Repita*: yo tengo,
	usted tiene,
	él tiene,
	ella tiene.
Juan	Yo **no tengo**,
	usted **no tiene**, él **no tiene**, ella **no tiene**.
	Ahora *conteste*:
	...
	¿Tiene usted una cassette? – Sí, yo ...

SÍ, YO TENGO UNA CASSETTE

Juanita	– Sí, yo tengo una cassette.
Juan	¿Tiene usted una cassette de español?
Juanita	– Sí, tengo una cassette de español.
Juan	¿Tiene usted cincuenta cassettes de español?
Juanita	– No, no tengo cincuenta cassettes de español.
Juan	¿Tiene usted el teléfono? – Sí, ...
Juanita	– Sí, tengo el teléfono.
Juan	o: – No, ...
Juanita	– No, no tengo el teléfono.
Juan	¿Tiene usted la radio? – Sí, ...

SÍ, TENGO UN PERRO

Juanita	– Sí, tengo la radio.
Juan	¿Tiene usted un coche, sí o no?
	Conteste por favor:
	....
	¡Ah! Y usted, Juanita ¿tiene usted
	coche?
Juanita	– ¿Yo? No. Yo no tengo coche.
Juan	¡Qué lástima!
Juanita	Repita: **no tengo coche.**
	No tengo bicicleta.
	No tengo motocicleta.
Juan	¡Ay! ¡Qué lástima!
	Pero usted tiene un perro, ¿no? – Sí, ...
Juanita	– Sí, tengo un perro.
Juan	¿Uno o dos?
Juanita	– Uno.
	Sólo uno.
Juan	Y ... ¿gatos? ¿Tiene también gatos? – No, ...
Juanita	– No, no tengo gatos.
Juan	¿Tiene usted dinero? – Sí, ...
Juanita	– Sí, tengo dinero.
	Repita: Sí, claro ¡**cómo no!**

Juan	¿Tiene usted dinero?
Juanita	- ¡Cómo no!
Juan	El Sr. Rockefeller tiene **mucho dinero.**

Tiene mucho dinero.

Pedro no tiene mucho dinero.

Pedro tiene **poco dinero.**

Tiene poco dinero.

¿Y usted? ¿Tiene usted mucho dinero o poco

dinero? – Yo ...

¡Ya!

Y ahora, repita después de Juanita:

Juanita	Yo cuento mi dinero.

Usted cuenta su dinero.

Él cuenta su dinero.

Ella cuenta su dinero.

Juan	**¡Ya está!** Gracias, Juanita.
Juanita	- De nada.

FIN DE LA ESCENA 8

EJERCICIO 8

1. Lea en español: 10, 20, 30, 40, 50
   21, 25, 35, 39, 41

2. ¿Cuántos son treinta y quince?

3. ¿Cuántos son cuarenta y catorce?

4. ¿Tiene usted una cassette de español?

María tiene cincuenta pesos
(Es el dinero de María)

Pedro tiene tres pesos
(Es el dinero de Pedro)

Sí, yo tengo...
   usted tiene
   él tiene
   ella tiene

No, yo no tengo...
   usted no tiene
   él no tiene
   ella no tiene

CORRECCIÓN

1. Diez, viente, treinta, cuarenta, cincuenta
   veintiuno, veinticinco, treinta y cinco, treinta y nueve, cuarenta y uno.

2. Treinta y quince son cuarenta y cinco.

3. Son cincuenta y cuatro.

4. Sí, tengo una cassette de español.

ESCENA 9

UNA LECCIÓN DE GEOGRAFÍA

Carlos	¡Hola, **Teresa**!
Teresa	¡Hola, **Carlos**!
Carlos	¡Hola, **Felipe**!
Felipe	¡Hola! ¿Cómo está?
Carlos	Bien ...
Pedro	¡Shhh! Viene el profesor.
	Aquí viene.
	...
Sr. García	¡Silencio!
	¡Pedro, **siéntese**!
	Carlos también, ¡Siéntese por favor!
	¡Siéntese!
	...
	Y ahora Pedro, ¡cuente a **los estudiantes**!
Pedro	Uno, dos, tres, cuatro, cinco estudiantes.

Juan	*Conteste*: ¿Cuenta Pedro los coches? - No, ...
Juanita	- No, Pedro no cuenta los coches.
Juan	¿Cuenta Pedro los gatos y los perros? - No, ...
Juanita	- No, no cuenta los gatos y los perros.
Juan	Felipe, Teresa y Carlos son estudiantes, ¿**verdad**? - Sí, son ...
Juanita	- Sí, son estudiantes. *Repita*: Felipe, Teresa y Carlos son estudiantes también. Son estudiantes también.
Juan	*Repita*: un estudiante - estudiantes. una secretaria - secretarias.
Juanita	Repita: **el** estudiante - **los** estudiantes. **la** secretaria - **las** secretarias.
Juan	*Escuche*.

Sr. García	Carlos, siéntese por favor y cuente a los estudiantes, pero ...
(Sra. X	**Don Miguel** es español ...)
(Sra. Y	No señora, don Miguel no es español. Don Miguel es italiano...)
Sr. García	¡Pedro, por favor, cierre la puerta! ¡Cierre la puerta!

Juan	*Repita*: Pedro **va**... a la puerta. Pedro va a la puerta.

No va la ventana; va a la puerta.

(Sra. X	Pero Don Miguel es español.)
(Sra. Y	**¡Que no!** Don Miguel es italiano.)
(Sra. X	No sé, no sé.)
Sr. García	Pedro, ¡cierre la puerta!

Juan	*Conteste*: ¿**Cierra Pedro** la puerta? - Sí, ...
Juanita	- Sí, **Pedro cierra** la puerta.
Juan	¿**No cierra** la ventana? - No, ...
Juanita	- No, no cierra la ventana.
Juan	¿Qué cierra?
Juanita	- Cierra la puerta.
Juan	¿Y usted? ¿**Cierra usted** la puerta? - No, yo ...
Juanita	- No, yo no cierro la puerta.
Juan	¿Quién cierra la puerta? ¿Pedro? - Sí, Pedro ...
Juanita	- Sí, Pedro cierra la puerta.
Juan	¿Quién?
Juanita	- Pedro.
Juan	¡Ah! Ya.
Sr. García	Gracias, Pedro.
Pedro	De nada, señor.
Sr. García	Ahora, siéntese ... y repita:

Madrid es una ciudad.

Pedro	Madrid es una ciudad.

Sr. García	Es una ciudad española.
	Milán es una ciudad.
	Es una ciudad italiana.
	Venezuela no es una ciudad.
	Venezuela es **un país.**
Pedro	No es una ciudad, es un país.
Sr. García	Exactamente, ... pero ahora *escuche*:
	Madrid **está** en España.
Sr. García	Milán está **en Italia.**
	Nueva York está **en América.**
	San Francisco también está en América.
	Conteste: ¿Está la ciudad de **Chicago** en América?
Pedro	– Sí, la ciudad de Chicago está en América.
Sr. García	¿Está Milán en América?
Pedro	– No, Milán **no está** en América.
Sr. García	¿**Dónde** está Milán?
Pedro	– Milán está en Italia.
Sr. García	¿Dónde está Madrid?
Pedro	Madrid está en España.
Sr. García	¿Dónde está **Caracas**? ¿**En Venezuela**?

NUEVA YORK ESTÁ EN AMÉRICA

Pedro	- Sí, Caracas está en Venezuela.
Sr. García	Y ... ¿Es **Buenos Aires** una ciudad o un país?
Pedro	- Es ... ¿un país?
Sr. García	¡No no no, Pedro: Buenos Aires no es un país, es una ciudad! ¿Es Buenos Aires una ciudad grande o **pequeña**?
Pedro	- Es una ciudad grande.
Sr. García	¿Y **Méjico**? ¿Es grande o **pequeño**?
Pedro	- ¿Méjico?
Sr. García	Sí. ¿Es grande o pequeño?
Pedro	- No sé ... No sé ... ¿Qué hora es?
Sr. García	¡Ja, ja, ja! Está bien, Pedro. Basta. ¡Basta con **la geografía**!
Juan	Bueno. El Sr. García es profesor, ¿Verdad?
Juanita	- Sí, es profesor.
Juan	*Conteste*: ¿Es **un buen profesor**?
Juanita	- Sí, es **un profesor excelente**.
Juan	**¿Está** el Sr. García **en la escuela**? - Sí, ...
Juanita	- Sí, el Sr. García está en la escuela.

SOY GRANDE

SOY PEQUEÑO

Juan	¿No está en su coche? – No, ...
Juanita	– No, no está en su coche.
Juan	¿Dónde está, en su coche o en la escuela?
Juanita	– Está en la escuela.
Juan	¿Y Pedro? ¿Está Pedro en la escuela también?
Juanita	– Sí, Pedro está en la escuela también. Pues sí, Pedro también está en la escuela.
Juan	¡Entonces, Pedro es estudiante de español!
Juanita	– ¡Cómo no! Pedro **es un estudiante muy bueno.**
Juan	*Repita*: El estudiante **está en la clase.** La secretaria está en **la oficina.** *Conteste*: ¿Dónde está Pedro, en la clase o en la oficina?
Juanita	– Pedro está en la clase.
Juan	¿Dónde está María, en la clase o en la oficina?
Juanita	– María está en la oficina. María está en su oficina.
Juan	¿Y usted? ¿**Está usted** en la oficina de María?
Juanita	– No, **yo no estoy** en la oficina de María.

Repita: Yo no estoy en la oficina de María.

No estoy en su oficina.

Juan   *Conteste*: ¿Está usted en la clase con Pedro?

Juanita   - No, yo no estoy en la clase con Pedro.

No estoy en la escuela.

No estoy en la oficina.

¡Estoy en **mi casa**!

Juan   *Conteste*: ¿Está usted en Madrid?

Juanita   - No, no estoy en Madrid.

Juan   ¿Está usted en **Barcelona**?

Juanita   - No, no estoy en Barcelona.

Juan   **¿En qué ciudad** está usted?

¡Ah! ¿Y **en qué país** está?

....

Muy bien. Entonces *repita*: Yo estoy,

usted está, él está, ella está.

Ahora usted está en su casa.

Conteste: ¿Canta usted una canción? - No, ...

Juanita   - No, no canto una canción.

Juan   ¿Cuenta usted su dinero? - No, ...

Juanita   - No, no cuento mi dinero.

Juan   No canta y no cuenta... **¿Qué hace usted?**

	¿Qué hace usted? ¿Escucha?
Juanita	- Sí, escucho.
Juan	¿Escucha la cassette?
Juanita	- Sí, escucho la cassette.
Juan	*Conteste*: ¿Es **buena** la cassette? ¿Sí o no?

· ·

¡Ah!

Ahora *escuche a las dos señoras:*

Sra. X	Don Miguel **es** español y **está** en España.
Sra. Y	No, no, no, Don Miguel es italiano y está en Italia.
Sra. X	¡Ah! No sé...

FIN DE LA ESCENA 9

EJERCICIO 9

	Sí	No
1. Pedro es japonés	( )	( )
2. El Sr. García es estudiante	( )	( )
3. María es americana	( )	( )
4. Ella es secretaria	( )	( )
5. Barcelona es una ciudad	( )	( )
6. Barcelona *está* en España	( )	( )
7. Caracas *está* en Venezuela	( )	( )
8. Madrid *está* en Italia	( )	( )
9. Nueva York *está* en Francia	( )	( )
10. María *está* en su oficina	( )	( )
11. El profesor *está* en su coche	( )	( )
12. Usted *está* en la clase de la escuela	( )	( )

Si, yo estoy…
   usted está
   él está
   ella está

No, yo no estoy…
   usted no está
   él no está
   ella no está

CORRECCIÓN

1. No, no es japonés.
2. No, no es estudiante.
3. No, no es americana.
4. Sí, es secretaria.
5. Sí, es una ciudad.
6. Sí, está en España.
7. Sí, está en Venezuela.
8. No, no está en Italia.
9. No, no está en Francia.
10. Sí, está en su oficina.
11. No, no está en su coche.
12. No, no estoy en la clase de la escuela.

ESCUCHE LA ESCENA NÚMERO DIEZ

ESCENA 10

YO HABLO ESPAÑOL

Juan	¡Shhh!
	Escuche.
	...
	Pedro **llama a la puerta.**
	Él llama a la puerta.
	Y ahora, ... ¿qué hace?
Juanita	- Ahora **abre** la puerta.
	Él abre la puerta.
Juan	Abre **la puerta de la oficina.**
	Y ...
	entra en la oficina.

¡Ah! En la oficina está María.

Ella está en su oficina.

Aquí está ella.

Repita después de Maria:

María	¿Diga?
	....
	Sí, un momento, por favor.
	Un momento.
	¡Sr. García! ¡El teléfono!
Sr. García	¿Es para mí?
María	Sí, es para usted.

Juan	*Escuche bien al Sr. García, y repita:*
	....

SÍ, ES PARA USTED

Sr. García	¿Diga?
	....
	Sí, pero **¿quién es usted**?
	....
	¿Quién?
	....
	¡Ah! **¡Sr. Miller**!
	¿Dónde está usted?
	....
	¿Dónde?
	....
	¡Ah! **¡En Inglaterra**!
	¡En **Londres**!
	Well, hello, Mr. Miller, hello!
Pedro	"Well, hello, Mr. Miller, hello!"
María	¡Shhh! ¡Pedro, silencio!
	El profesor habla por teléfono.
Sr. García	Mr. Miller, how are you?
Pedro	"Mr. Miller, how are you?"

María	¡Pedro, shhh! El profesor habla con Mr. Miller.
Sr. García	Oh, yes! Yes, thank you. Thank you very much.

María	Ahora, el profesor **no habla** español.
	Habla inglés.
Pedro	¿Y usted, María? ¿Habla usted inglés?
María	- **Así así: hablo inglés** pero **no hablo** muy
	bien.
	No **lo** hablo muy bien.
Pedro	¿Y el francés? ¿Lo habla usted?
María	No, no lo hablo.
Pedro	¿Lo habla el profesor?
María	¡Oh, sí! El profesor lo habla **perfectamente.**
	Él habla francés, **inglés, italiano, alemán...**
	Habla cuatro o cinco **idiomas.**
Pedro	**¡Fantástico!**

Juan	Ahora *conteste* por favor:
	¿Dónde está el profesor García?
Juanita	- Está en la oficina.
Juan	¿Habla por teléfono?
Juanita	- Sí, habla por teléfono.
Juan	¿Habla con María? - No, ...
Juanita	- No, no habla con María.
Juan	**¿Con quién** habla?
Juanita	- Habla con el Sr. Miller.
Juan	¿Está el Sr. Miller en España o en Inglaterra?
Juanita	- El Sr. Miller está en Inglaterra.
Juan	¿Dónde, en Inglaterra?
Juanita	- En Londres.
Juan	¿Qué idioma habla el Sr. Miller?
Juanita	- El Sr. Miller habla inglés.
Juan	¿Habla inglés con el profesor?
Juanita	- Sí, habla inglés con el profesor.
Juan	¿Qué idioma habla usted ahora?
	- Ahora yo ...
Juanita	- Ahora yo hablo español.

SÍ, HABLO POR TELÉFONO

Juan   Bueno. *Repita:* **yo hablo,**
usted habla,
él habla,
ella habla.
¡Por favor, **hable** usted!
Muy bien.
Y ahora escuche **el final** de su cassette,
con el Sr. García, Pedro, María, Juan y
Juanita.

Sr. García	Thank you very much, Mr. Miller, and good-bye!
Pedro	"Thank you very much, Mr. Miller, and good-bye!" ¡Hablo inglés! ¡Hablo inglés!
María	Pedro, basta. **¡Basta ya!**
Pedro	"Thank you and good-bye." Good-bye María, **hasta luego.**
María	Hasta luego, Pedro.

Juan   Hasta luego. Adios, y muchas gracias.

Juanita   Ahora, pare la cassette: está **terminada.**

FIN DE LA ESCENA 10

EJERCICIO 10

		Sí	No
1.	El profesor va a la ventana	( )	( )
2.	Pedro abre la puerta del coche	( )	( )
3.	Pedro entra en la oficina donde está María	( )	( )
4.	El Sr. Miller viene a la oficina	( )	( )
5.	Marí habla francés y alemán	( )	( )
6.	El Sr. García habla muchos idiomas	( )	( )
7.	Usted habla por teléfono con el Sr. Miller	( )	( )

CORRECCIÓN

1. No, no va a la ventana.
2. No, no abre la puerta del coche.
3. Sí, entra en la oficina donde está María.
4. No, no viene a la escuela.
5. No, no habla francés y alemán.
6. Sí, habla muchos idiomas.
7. No, no hablo por teléfono con el Sr. Miller.